Beth?
Dim Pants?

Llyfr gwybodaeth

gan

Non ap Emlyn

Cyhoeddwyd gan
Y Ganolfan Astudiaethau Addysg,
Aberystwyth, gyda chymorth ariannol
Cynulliad Cenedlaethol Cymru.

ISBN: 978 1 84521 253 7

Cydlynwyd y gyfres gan Non ap Emlyn ac Eirian Jones
Dyluniwyd gan Ceri Jones

Diolch i Aletia Messham, Angharad Morgan, Dafydd Roberts
a Lisa Williams am eu harweiniad gwerthfawr.

Diolch i'r canlynol am ganiatâd i atgynhyrchu lluniau:
Ceri Jones: tud. 4
Hedd ap Emlyn: tud. 5, 6
Anne Lloyd Cooper: tud. 5, 17, 19, 20
Rex Features: clawr, tud. 7, 9, 10, 12, 15, 16, 18

Argraffwyr: Gwasg Gomer

Cynnwys

Tudalen

Ble wyt ti'n byw?   4

Beth, dim pants?   8

Pêl-droed?   10

Pencampwriaeth boeth   14

Cŵn lwcus   18

Ble wyt ti'n byw?

Mewn tŷ?

Mewn byngalo?

Mewn fflat?

**Ble mae pobl
Ffrainc yn byw?**

Mewn tŷ?
Mewn byngalo?
Mewn fflat?

Wrth gwrs!

Ond mae rhai pobl yn byw mewn ogofâu.

Oes, mae rhai pobl yn ardal y Loire yn byw mewn ogofâu.

Edrycha ar y tai yma.

Does dim brics yn y wal.
Dim blociau concrit!
Dim pren!

Mae'r tai yma yn y graig – fel ogofâu.

Bobl bach!

Gwahanol

Edrycha ar y tŷ yma.

Adeiladu tŷ gwellt.

Mae'r tŷ yma'n fodern iawn.

Mae'r tŷ yma'n wahanol iawn hefyd.

Does dim brics yn y tŷ.

Tŷ gwellt ydy e.

Beth? Dim pants?

Newyddion Y Bobl

Dydd Sadwrn Mai 7

Peidiwch edrych, Mrs Jones!

Bobl bach!!

Roedd llawer o bobl yn cerdded yn y dref 'heb bants' ddoe.

Roedd rhai pobl yn siopa 'heb bants'!

Roedd rhai pobl yn gweithio 'heb bants'!

Roedd rhai pobl yn cerdded yn y parc 'heb bants'!

Roedd rhai pobl yn mynd i'r coleg 'heb bants'!

Pam?

Roedd ddoe yn ddydd 'Dim pants'.

'Dydd 'Dim Pants'?' Ie, 'Dydd Dim Pants'!

Mae Dydd Dim Pants ar y dydd Gwener cyntaf ym mis Mai bob blwyddyn.

Pants = Trowsus

Ond peidiwch poeni. Yn America, maen nhw'n dweud 'pants' am 'drowsus'.

Felly, ar Ddydd Dim Pants, dydy **rhai** pobl ddim yn gwisgo trowsus. Maen nhw'n gwisgo *boxer shorts* – a dillad eraill yn lle!

Pam Dydd Dim Pants?

Dechreuodd Dydd Dim Pants er mwyn dweud:

Paid bod mor ddifrifol neu yn Saesneg, *Chill out!*

Pêl-droed?

Beth wyt ti'n feddwl o bêl-droed?

Mae'n ddiflas?

Mae'n iawn?

Mae'n wych?

Rydw i wrth fy modd gyda pêl-droed?

Wel tybed beth wyt ti'n feddwl o'r gêm yma?

Pêl-droed mewn mwd

Pêl-droed mewn mwd: hanes

1998:	Dechrau yn Y Ffindir
1998:	Twrnamaint Y Ffindir – 13 o dimau'n chwarae
1999:	Pencampwriaeth Ewropeaidd – 69 o dimau'n chwarae
2000:	Pencampwriaeth y Byd
Ers 2000:	Mae Pencampwriaeth y Byd yn mynd yn fwy ac yn fwy bob blwyddyn – mae dros 200 o dimau'n chwarae bob blwyddyn.

Pêl-Droed mewn Mwd

Pencampwriaeth y Byd

yn ystod yr haf
yn Arena Hyrynsalmi, Y Ffindir

15 cae mwd gwlyb
mwy na 500 o gemau dros 3 diwrnod

Pêl-droed mewn mwd: heddiw

Heddiw, mae pobl yn chwarae pêl-droed mewn mwd yn

Sweden
Gwlad yr Iâ
Yr Iseldiroedd
Rwsia
Brazil
Prydain
a'r Ffindir wrth gwrs!

PÊL-DROED MEWN MWD

Y timau:
Timau dynion
Timau merched
Timau dynion a merched

Rhaid cael 6 mewn tîm – 1 yn y gôl a 5 ar y cae.
Rhaid i'r bobl yn y tîm wisgo'r un lliw.
(Mae'n bosib gwisgo gwisg ffansi!)

Rhaid bod dros 17 oed.

Y rheolau:
Rhaid chwarae am 24 munud – 12 munud bob
ffordd.

Mae'r rheolau'n debyg i reolau pêl-droed ond mae'n
bosib defnyddio'r llaw i ollwng y bêl ar y droed (fel
drop kick) ar gyfer ciciau cornel a chiciau cosb.

Dim rheol *off-side*
Dim newid esgidiau yn ystod y gêm

Pencampwriaeth boeth

Wel, os dydy pencampwriaeth pêl-droed mewn mwd ddim yn apelio, beth am ...?

PENCAMPWRIAETH BWYTA DANADL POETHION

Ble: Marshwood, Dorset, Lloegr

Pryd: yn ystod yr haf

Bwyta danadl poethion? Ie, danadl poethion!

Beth sy'n digwydd:

Mae pobl yn dod o:
- America
- Awstralia
- Gogledd Iwerddon
- Gwlad Belg
- Prydain

Maen nhw'n bwyta danadl poethion.

Y Rheolau:

- Mae'r swyddogion yn rhoi danadl poethion i'r cystadleuwyr.

- Rhaid i'r cystadleuwyr fwyta'r dail yn unig.

- Dim menig!

- Dim byd i wneud y geg yn *numb!*

- Mae'r swyddogion yn mesur faint mae'r cystadleuwyr wedi bwyta.

Danadl poethion – da!

Mae rhai pobl yn dweud bod danadl poethion yn dda iawn i chi. Maen nhw'n helpu pobl i wella o salwch.

Mae rhai pobl yn bwyta ac yn yfed danadl poethion, e.e.
- mewn sŵp
- mewn stiw
- mewn diod
- mewn te
- mewn pwdin

Ond oeddet ti'n gwybod?

Amser maith yn ôl, roedd y Rhufeiniaid ym Mhrydain.
Roedd llawer o Rufeiniaid wrth Wal Hadrian.
Roedd hi'n oer iawn yno.
I gadw'n gynnes, roedd rhai Rhufeiniaid yn taro eu hunain gyda danadl poethion.

AWTSH!

Cŵn lwcus

Mae rhai cŵn yn gwisgo dillad trendi.

Mae rhai cŵn yn gwisgo coleri gyda gemau a sbectol haul hefyd!

Ond beth am …
… ffôn symudol i gŵn?

Mae cwmnïau yn Japan yn gwneud ffonau symudol i gŵn.

Mae'r ffôn yn clipio ar goler y ci.
Yna, mae'n bosib ffonio i siarad â'r ci.

A beth am …

… campfa i gŵn?!?

Oes, yn Japan, mae campfa arbennig ar gyfer cŵn.

Yn y gampfa, mae cŵn yn

- cerdded ar *treadmill* yn y dŵr

- nofio

- mynd i sba cynnes

Ac yna, ar ôl yr ymarfer, maen nhw'n cael

- shampŵ a *blow dry*

WOW!